MÍP

MÁIRE ZEPF
A SCRÍOBH

PADDY DONNELLY
A MHAISIGH

Bhí na heolaithe an-ghnóthach ag tógáil Míp, an róbat spáis.
Bhí scleondar orthu faoi gach bís agus bíp.

Bhí Míp chun taisteal go Mars, chun eachtráin a chuardach agus pictiúir a ghlacadh díobh.

5
4
3
2
1

CHUN SIÚIL!

D'ardaigh an roicéad agus suas sa spéir le Míp.
Amach sa spás léi, ar a misean mór, i bhfad, i bhfad ó bhaile.
"Nach cróga an róbat beag í?" arsa na heolaithe go léir.

Nuair a shroich sí Mars, thosaigh Míp ag taisteal thart, ag glacadh grianghraf.

Thóg sí pictiúir de chlocha corra, de chráitéir ollmhóra agus de locha reoite. Sheol sí gach ceann ar ais chuig na heolaithe ar an Domhan.

Ach ní raibh eachtrán le feiceáil in áit ar bith.

Phléasc Míp carraigeacha lena léasair. Bhailigh sí samplaí agus chuir sí tuairiscí ar ais abhaile. Bhí na heolaithe iontach tógtha léi...

...cé nach raibh eachtrán le feiceáil in áit ar bith.

Ba ghearr go raibh gach duine ar domhan ag caint faoin róbat beag spáis. "Féach na féiníní a ghlac sí!" a dúirt na heolaithe, go bródúil.

"Ach maidir le heachtráin — bhuel,
b'fhéidir nach bhfuil a leithéid ann ar chor ar bith."

D'oibrigh Míp go crua, gan staonadh, gan stad. Ní raibh róbat sa ghrianchóras níos dícheallaí ná í. Ach ní raibh rud ar bith le feiceáil sna pictiúir uaithi riamh ach clocha, cráitéir agus locha reoite.

Nuair a thit dhá cheann dá rothaí di, choinnigh Míp uirthi.
Thiomáin sí níos fadálaí agus sheachain sí na poill.

Nuair a bhris a haeróg stiúrtha ina smidiríní,
thiomáin Míp droim ar ais.

Bhí an-mheas ag na heolaithe ar a misneach agus ar a cuid oibre.
D'fhoghlaim siad cuid mhór faoi Mhars óna cuid pictiúr.
Ansin, lá amháin...

... tharla tubaiste uafásach. Réab stoirm mhór ghainimh thar an phláinéad. Shéid gaoth mhillteanach. D'éirigh néalta móra deannaigh san aer. Bhlocáil siad solas na gréine go hiomlán. Stop grianphainéil Mhíp ag oibriú.

Réab an stoirm gan stad, lá agus oíche, lá i ndiaidh lae.
"Tá mo chadhnraí íseal is tá gach rud ag éirí dorcha,"
arsa Míp leis na heolaithe.

Ansin thit tost ar Mhíp.

Thriall na heolaithe teagmháil a dhéanamh léi.
Chuir siad teachtaireachtaí chuici, arís agus arís agus arís eile.

"A Mhíp, an gcloiseann tú muid?
An bhfuil tú ansin, a Mhíp? "

Ach bhí ciúnas iomlán ann.

Sheinn na heolaithe amhrán grá di. Suas sa spéir
leis an gceol agus amach sa spás mór, dorcha.

"Oíche mhaith, a Mhíp," a dúirt siad agus deora ina súile acu.

"Ba í Míp an róbat ab fhearr riamh. Agus anois tá sí imithe go deo. Ach ní dhéanfaidh muid dearmad uirthi choíche. Cuimhneoidh muid uirthi gach uair a amharcfaidh muid suas ar na réaltaí sa spéir."

Ach ansin...

'MÍP - BLÍP - RÓBAT ATHMHÚSCAILTE'

Míp?

"Míp go Domhan," arsa glór beag leictreonach. "An gcloiseann sibh mé?"

Ní fhéadfadh na heolaithe é a chreidiúint.

"Sea, a Mhíp — cloiseann muid thú!" a bhéic siad,
deora áthais anois leo. Bhí scleondar orthu faoi gach bís agus bíp.

"Cad é mar a mhair tú?" a d'fhiafraigh siad di.
"Níl mé cinnte," arsa Míp. "Ach an ceol sin a chuir sibh
suas chugam - sílim gur chuidigh sé sin go mór."